Een fiets v... e

Rindert Kromhout

Tekeningen van Jan Jutte

Zwijsen

Een fiets voor twee

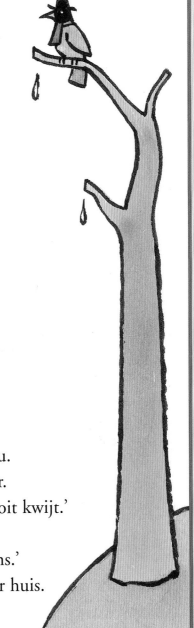

'Zit je lekker, Wil?'
'Ja, Bil.
Zit jij ook lekker?'
'Nou en of,' zegt Bil.
'Daar gaan we dan.'
Bil en Wil zitten op hun fiets.
Samen op één fiets.
Het is een fiets voor twee.
Twee zadels.
Vier trappers.
Twee bellen.
De fiets is nieuw.
Bil kocht hem bij Mil.
'Kijk eens hier, Bil,' zei Mil.
'Een fiets voor twee.
Dat is echt iets voor Wil en jou.
Want jullie zijn altijd bij elkaar.
Op deze fiets raak je elkaar nooit kwijt.'
'Mil, wat goed van je,' zei Bil.
'Ja, die fiets is echt iets voor ons.'
Hij nam hem meteen mee naar huis.
Wil wist niet wat hij zag.

'Wat is dat nou?' vroeg hij.

'Een fiets voor twee, Wil,' zei Bil.

'Leuk, hè?

We gaan erop uit met deze fiets.

Doe je jas maar aan.'

Koud?

Daar gaan ze dan.
Het tuinpad af en de weg op.
De fiets glimt.
Bil zit voorop.
Hij kijkt om zich heen en belt.
Hij wuift naar de dieren in het veld.
Wil wuift niet.
Hij is nogal stil.
Het weer is niet best.
Het waait hard.
Ook regent het een beetje.
Ze rijden door het park.
Daarna gaan ze het dorp in.
Er is haast geen mens op straat.
Een kat zit op een stoepje.
Een natte duif zit op een dak.

Bil rilt en niest.
Wil tikt hem op zijn rug.
'Heb je het koud, Bil?' vraagt hij.
'Waait het te hard?
Wil je liever naar huis?'
'Nee hoor, Wil,' zegt Bil.
'Ik voel de wind haast niet.
Ik heb het naar mijn zin.
Leuk hè, een fiets voor twee?'
'Ja …' zegt Wil.

Gril

Daar is het eethuis van Gril.
Gril staat voor de deur.
Hij schrijft iets op een bord.

VANDAAG KIP IN SAUS
MET FRIET
LEKKER EN NIET DUUR

Bil belt weer met zijn fietsbel.
Gril kijkt op.
'Ha, die Bil en Wil,' zegt hij.
'Op de fiets in dit weer?
Dat zou niks voor mij zijn.
Ik zit liever in mijn keuken.'
'Het is een fiets voor twee,' zegt Bil.
'Hij is nieuw.'
'Ik zie het,' zegt Gril.
'Echt iets voor Wil en jou.'

Wil snuift.

'Wat ruik ik?' vraagt hij.

'Kip in saus,' zegt Gril.

'Ruikt goed, hè?'

'Ik krijg er trek van,' zegt Wil.

'Dat geloof ik graag,' zegt Gril.

'Jullie zijn welkom.'

Meteen stapt Wil van de fiets.

'Hoho, nu nog niet,' zegt Gril.

'Om zes uur is de kip klaar.'

'Mooi,' zegt Wil.

'Bil, ik wacht hier.

Breng jij de fiets maar naar huis.

En kom daarna weer naar me toe.'

Bil schudt zijn hoofd.

'Het is nog lang geen zes uur, Wil.

We gaan eerst nog verder op onze fiets.

Tijd zat.

Tot straks, Gril.

Om zes uur zijn we bij je.'

Wil klimt weer op de fiets.

Hij drukt zijn muts stevig op zijn hoofd.

Bil fluit een deuntje.

Pil

Ze rijden langs een veld.
Het graan ligt plat op de grond.
Dat komt door de wind en de regen.
Bil beeft.
Weer tikt Wil hem op zijn rug.
'Word je niet te nat, Bil?' vraagt hij.
'Wil je niet dolgraag naar huis?'
'Nee hoor, Wil,' zegt Bil.
'Ik merk haast niks van de regen.'
'O…' zegt Wil.
Zo rijden ze het dorp uit.

Midden op de weg staat Pil.
Zijn fiets ligt naast hem.
Bil belt met zijn fietsbel.
'Opzij, Pil!' roept hij.
'Je staat in de weg.'
'Mijn fiets is stuk,' zegt Pil.
'Moet je zien wat een wrak.
Dit komt nooit meer goed.'
Wil staart naar de fiets van Pil.
'Wat een pech,' gaat Pil door.

'Ik heb haast.

Dil heeft koorts.

Ik moet snel naar hem toe.

Mag ik een lift?

Mag ik met jullie mee?'

'Ja hoor,' zegt Bil.

'Er is nog een plekje vrij.

Kom er maar bij.'

Pil klimt op de fiets voor twee.

'Zit je goed, Pil?' vraagt Bil.

'Ik zit goed,' zegt Pil.

'Daar gaan we weer, Wil,' zegt Bil.

'Ja ...' zucht Wil.

Sil

Ach kijk, daar loopt Sil.
Bil belt weer.
'Hallo Sil!' roept hij.
Sil kijkt boos naar de fiets voor twee.
'Een fiets!' zegt ze.
'Had ik ook maar een fiets.
Ik ben op weg naar mijn oma.
Ze woont ver bij me vandaan.
Op de fiets zou ik er zo zijn.
Maar ik heb geen fiets.
Daar heb ik geen geld voor.
Ik ben al een hele poos op pad.
En dat in die kou!
Als ik nog maar op tijd ben.
Ik zou om vier uur bij haar zijn.'
'Heb je een leuke oma, Sil?' vraagt Wil.
'Heel leuk,' zegt Sil.
'Het is fijn om naar haar toe te gaan.
Dan doet ze de deur open.
En dan ren ik naar haar toe.
Ik roep: "Oma!"
En zij roept: "Sil!"

Daar word ik altijd blij van.'
'Ja ...' zegt Wil.
Sil kijkt naar Pil.
'Krijgt Pil een lift?' vraagt ze.
'En ik dan?
Mag ik ook met jullie mee?
Ik ben zo bang dat ik te laat kom.
Dan denkt oma dat er iets mis is.
En dat wil ik niet.'
Bil knikt.
'Ja hoor, Sil,' zegt hij.
'Jij mag ook met ons mee.
Ga maar op de stang zitten.'
Sil doet wat Bil zegt.
'Zit je goed, Sil?' vraagt Bil.
'Ik zit goed,' zegt Sil.
'Rijden maar weer, Wil,' zegt Bil.

Bil en Wil rijden weer.
Eerst naar het huis van de oma van Sil.
Dat staat aan de rand van het bos.
Sil stapt af.
'Ik ben mooi op tijd,' zegt ze.
'Dag Bil en Wil.'

Wil kijkt Sil na.
Haar oma staat bij de deur.
Sil rent naar haar toe.
'Oma!' roept ze.
'Sil!' roept haar oma.

Daarna gaan ze naar het huis van Dil.
Dat staat aan de rand van de rivier.
Pil stapt af.
'Veel dank, hoor,' zegt hij.
'Ik lóóp straks naar huis.
Dan heb ik geen haast meer.'
Wil denkt aan de fiets van Pil.

'Mooi zo,' zegt Bil.
'Nu ben ik doodmoe.
Ik heb het koud.
Zullen we maar eens naar huis gaan?
Thuis brandt de haard.
En straks gaan we naar Gril.
Ik heb wel zin in die kip in saus.'
'Goed plan, Bil,' zegt Wil.

Weet je nog?

'Zo, we zijn weer thuis,' zegt Bil.
'Hèhè.'
Hij zet de fiets in de schuur.
Wil loopt met hem mee.
'Wat een fiets, hè?' zegt Bil.
'Onze eigen fiets voor twee.
Vond je het fijn, Wil?'
'Eh … gaat wel,' zegt Wil.
Hij kijkt niet echt blij.
'Gaat wel?' vraagt Bil.
'Hoezo gaat wel?
Vond je het niet leuk?
Had je het niet naar je zin?'
'Dat wel,' zegt Wil.
'Het was best leuk op die fiets.
Al was het geen mooi weer.
Het was fijn dat Pil mee mocht.
En dat Sil nu bij haar oma is.'
'Nou dan?' zegt Bil.
'Wat is er dan met je?'

'Bil?' zegt Wil.

'Weet je nog hoe het eerst was?

Toen hadden we geen fiets voor twee.

Jij had je eigen fiets.

Een fiets voor één.

En ik had ook een fiets voor één.'

'Ik weet het nog,' knikt Bil.

'En die fietsen zijn er nog steeds.

Kijk, daar staan ze.

Daar in die hoek.'

'Ik zie het,' zegt Wil.

'Nou, en dan pakte jij jouw fiets.

En ik de mijne.

En dan fietste jij die kant op.'

Wil wijst naar het park.
'En ik ging die kant op.'
Nu wijst hij naar een weiland.
'Een heel eind reed ik door.
En dan keek ik om.
Ik zag jou niet meer.
Je was te ver weg.
En dan dacht ik:
Ik kan Bil niet meer zien.
Nu ben ik alleen.
Wat erg voor mij.
Ik wil niet alleen zijn.
Gauw ging ik weer naar huis.
Heel alleen op mijn fiets.

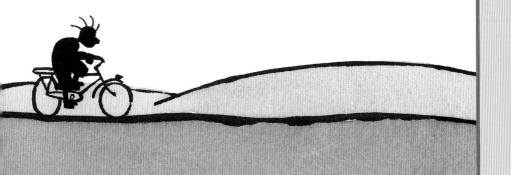

En dan ineens …
Daar hoorde ik een fietsbel.
"Wil!" riep iemand.
Dat was jij, Bil.
Hoera! dacht ik dan.
Daar is Bil!
Ik ben niet meer alleen.
Dan zei ik: "Bil, daar ben je weer!"
En jij zei: "Wil, daar ben jij ook weer!"
Dat was zó fijn, Bil.
Mijn vriend was weer bij me.
Met een fiets voor twee kan dat niet.'

Een fiets voor één

Bil denkt na.
'Een fiets voor jou en een fiets voor mij.
Vind je dat fijner dan die fiets voor twee?'
Wil knikt.
'Veel fijner.'
Weer is Bil even stil.
'Ik kocht die fiets voor jou …' mompelt hij.
'Ik dacht dat …'
Dan zegt hij: 'Weet je wat, Wil?
We doen die fiets voor twee weg.
Ik geef hem aan Pil.
Zijn fiets is stuk.
En als Sil dan naar haar oma wil …'
'Dan kan ze met Pil mee!' zegt Wil.
'Goed plan, Bil.
Ja, die fiets is voor Pil.
Gaan we meteen?'
'Nee, Wil,' zegt Bil.
'Ik heb nu geen zin meer.
En Pil is vast nog niet thuis.
Kijk eens hoe laat het is.
Bijna zes uur.

We gaan naar het eethuis van Gril.
Mijn maag rammelt.'
'De mijne ook,' zegt Wil.
'Kip in saus met friet!'
'Pak je eigen fiets maar, Wil,' zegt Bil.
En Wil pakt zijn fiets.
Zijn eigen fiets voor één.
'Ga maar vast,' zegt Bil.
'En wacht op me bij Gril.
Ik kom er zo aan.'

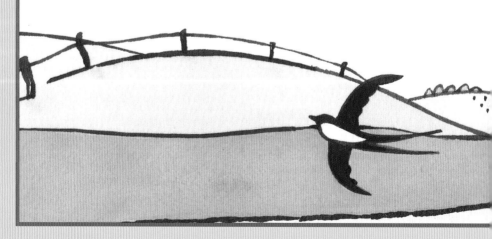

'Ja!' zegt Wil.
'Ik ga naar Gril.
En daar wacht ik op je.
En als je dan komt, dan …'
'Precies,' zegt Bil.
'Tot straks, Wil.'
Blij gaat Wil op weg.

Serie 11 • bij kern 11 van Veilig leren lezen

Bonnie Big is ... boos!

Selma Noort en Irma Ruifrok

Adje en Otje

Joke de Jonge en Juliette de Wit

Bietje is weg

Brigitte Minne en Rosemarie de Vos

Een fiets voor twee

Rindert Kromhout en Jan Jutte

De droom van Maaike

Maria van Eeden en Camila Fialkowski

Jim en de Joes

Tjibbe Veldkamp en Els van Egeraat

Hillie de heks

Lieneke Dijkzeul en Gitte Spee

Kermis in de straat

Annemarie Bon en Gertie Jaquet

ISBN 90.276.6117.0
NUR 287

Vormgeving: Rob Galema

1e druk 2005

© 2005 Tekst: Rindert Kromhout
Illustraties: Jan Jutte
Uitgeverij Zwijsen B.V. Tilburg

Voor België:
Zwijsen-Infoboek, Meerhout
D/2005/1919/348